Amos Daragon,
la clé de Braha
(manga)

BRYAN PERRO ET NICOLAS JOURNOUD

Amos Daragon,
la clé de Braha
(manga)

Les Éditions des Intouchables bénéficient du soutien financier de la SODEC, du Programme de crédits d'impôt du gouvernement du Québec et sont inscrites au Programme de subvention globale du Conseil des Arts du Canada.

Nous reconnaissons l'aide financière du gouvernement du Canada par l'entremise du Programme d'aide au développement de l'industrie de l'édition (PADIÉ) pour nos activités d'édition.

LES ÉDITIONS DES INTOUCHABLES
816, rue Rachel Est
Montréal, Québec
H2J 2H6
Téléphone : (514) 526-0770
Télécopieur : (514) 529-7780
www.lesintouchables.com

DISTRIBUTION : PROLOGUE
1650, boulevard Lionel-Bertrand
Boisbriand, Québec
J7H 1N7
Téléphone : (450) 434-0306
Télécopieur : (450) 434-2627

Impression : Transcontinental
Maquette de la couverture : Benoît Desroches
Logo manga : Mélanie Deschênes
Logo : François Vaillancourt
Infographie : Geneviève Nadeau et Roxane Vaillant

Dépôt légal : 2006
Bibliothèque et Archives nationales du Québec
Bibliothèque nationale du Canada

ISBN-10 : 2-89549-252-2
ISBN-13 : 978-2-89549-252-8

Merci à Arnaud pour le début,
et à Thida pour la suite

Prologue

Les deux portes

DE TOUTE FAÇON, JE N'AI PAS LE CHOIX. ALLONS-Y, HONNEUR D'ABORD À LA DÉFENSE : « IRRÉFUTABLE ALINÉA 8 DE LA CÉLÈBRE CLAUSE 124 TR9 »... MMM, CONNAIS PAS.

VOYONS VOIR CE QUE ÇA RACONTE AU JUSTE. « NON INTENTION »... BLABLABLA... « PÈRE EXEMPLAIRE »... « JURISPRUDENCE »... BIEN SÛR, VU SOUS CET ANGLE, IL FAUT RECONNAÎTRE QUE LE PARADIS S'IMPOSE...

ET QUE RÉPONDENT LES PARTIES ADVERSES ? « L'UNIVERSELLE CLAUSE 6617-TY-23 »

20, 21, 22... LÀ, TY-23.

ÉVIDEMMENT ! EXACTEMENT LE CONTRAIRE...

12

POUR LE MOINDRE MACCHABÉE LES DIEUX DU MAL RÉCLAMENT L'ENFER, LES DIEUX DU BIEN EXIGENT LE PARADIS, PERSONNE NE VEUT CÉDER ET AU FINAL, C'EST MERTELLUS LE BON VIEUX JUGE QUI PASSE SES NUITS À RÉSOUDRE DES CAS IMPOSSIBLES...

TOUT ÇA POUR SATISFAIRE LES EGO MALADES D'UNE DIZAINE DE DIEUX ORGUEILLEUX... LES MÊMES DIEUX QUI NOUS REPROCHENT QUE BRAHA SOIT SURPEUPLÉE.

HMMMPF

...LE SERPENT SE MORD LA QUEUE. ENFIN, TOUT ÇA NE ME DIT PAS OÙ JE VAIS ENVOYER CE PAUVRE BOUGRE. JE POURRAIS PASSER LE DOSSIER À KORRILLION, ÇA L'OCCUPERAIT...

FRROTTT
FROTTE

? ?

BAM

BAM

BAM

MAITRE

MAÎTRE... C'EST UNE CATASTROPHE ! LES PO...

LES POPO... LES PORTES...

ELLES SONT FEFE, ELLES SONT... OUPS

JERIK, ESPÈCE D'INCAPABLE, IGNOBLE VOLEUR, COMBIEN DE FOIS T'AI-JE DIT D'ATTENDRE DEVANT LA PORTE AVANT D'ENTRER... TU CROIS QUE JE NE SUIS PAS ASSEZ NERVEUX COMME ÇA ? TU VEUX VRAIMENT ME FAIRE MOURIR DE PEUR !

MOURIR ? MAIS... MAÎTRE, C'EST IMPOSSIBLE... VOUS ÊTES DÉJÀ... MORT.

ÉCOUTE-MOI BIEN, MON GARÇON...

D'ABORD, TU VAS RAMASSER TA TÊTE, PUIS TU VAS M'EXPLIQUER CALMEMENT LA RAISON SI URGENTE QUI TE POUSSE À DÉBARQUER ICI, SANS CRIER GARE, OU J'ENVOIE DÉCOUPER LE RESTE DE TA CARCASSE À LA GUILLOTINE, COMPRIS ?

COM... COMPRIS, MAÎTRE

GLOUPS

14

15

NOUS SOMMES PERDUS MERTELLUS, PERDUS ! LES DIEUX SONT CONTRE NOUS !

AIE!

TROP D'ÂMES DANS CETTE VILLE ! TROP DE DOSSIERS À TRAITER. SI EN PLUS LES PORTES S'EN MÊLENT, JE RENONCE, JE CRAQUE...

OUIIN

ALLONS, ALLONS, MON VIEUX KORRILLION, REMETTEZ-VOUS, CE N'EST PAS UNE FAÇON POUR UN JUGE DES ÂMES... EXPLIQUEZ-MOI PLUTÔT CE QUI S'EST PASSÉ.

FICHUS... FICHUS.

TAP TAP TAP TAP

JE N'Y COMPRENDS RIEN MERTELLUS, LES PORTES SE SONT FERMÉES CE MATIN SANS RAISON, IMPOSSIBLE DE LES OUVRIR. KORRILLION A RAISON : AVEC L'ARRIVÉE DES NOUVEAUX FANTÔMES ET MACCHABÉES, SI LES SEULES ISSUES DE BRAHA SONT CLOSES, NOUS ALLONS DROIT À LA RÉVOLTE...

CET IDIOT DE JERIK AVAIT DONC RAISON.

OUI, C'EST... C'EST UNE VÉRITABLE...

CATASTROPHE

MES AMIS, NOUS VOILÀ CONFRONTÉS À UN PROBLÈME QUI DÉPASSE NOS COMPÉTENCES, MAIS C'EST À NOUS QU'INCOMBE LE DEVOIR DE LE RÉGLER ALORS NE PERDONS PAS NOTRE CALME, S'IL VOUS PLAÎT, ET TÂCHONS DE TROUVER UNE SOLUTION.

TAP TAP

FROTTE

MAIS? OUI... POURQUOI PAS?

ÉCOUTEZ, CE N'EST QU'UNE PISTE, MAIS UNE VIEILLE LÉGENDE DE MON PEUPLE AFFIRME QU'UNE CLÉ DES PORTES AURAIT ÉTÉ FABRIQUÉE PAR UN ELFE SERRURIER IL Y A PLUSIEURS MILLIERS D'ANNÉES SUR L'ORDRE D'UN DES MAGISTRATS DE BRAHA DE L'ÉPOQUE ET QUE CETTE CLÉ SERAIT AUJOURD'HUI CACHÉE DANS LES PROFONDEURS DE LA VILLE.

MERCI BEAUCOUP POUR CETTE ANECDOTE FORT DISTRAYANTE GANHAUS, MAIS NOUS AVONS BESOIN D'UNE VRAIE SOLUTION, RAPPELEZ-VOUS, PAS D'UN CONTE POUR ENFANT.

LES LÉGENDES ONT TOUJOURS UN FOND DE VÉRITÉ, MERTELLUS, NE L'OUBLIEZ PAS. SI CETTE FAMEUSE CLÉ EXISTE, ELLE EST GARDÉE PAR DEUX PUISSANTES FORCES ET SEUL UN MORTEL POURRA S'EN EMPARER. C'EST PLUTÔT CE DERNIER POINT QUI ME SEMBLE LE VRAI PROBLÈME.

EFFECTIVEMENT EN SUPPOSANT SEULEMENT QUE VOTRE LÉGENDE SOIT VRAIE, GANHAUS, MALGRÉ TOUT LE RESPECT QUE J'AI POUR VOTRE PEUPLE, QUEL MORTEL ACCEPTERAIT DE RISQUER SA VIE POUR VENIR EN AIDE À UNE VILLE DE SPECTRES?

JERIK?

HUM... CHERS MAÎTRES, C'EST BIEN MALGRÉ MOI QUE J'AI ENTENDU VOTRE... EUH... CONVERSATION, MAIS JE PENSE POUVOIR VOUS AIDER.

SI L'UN D'ENTRE VOUS AVAIT LA BONTÉ DE ME RAMASSER JE ME FERAIS UN PLAISIR DE VOUS EXPLIQUER!

BAH, AU POINT OÙ NOUS EN SOMMES, NE NÉGLIGEONS AUCUNE PISTE, MÊME LES PLUS DOUTEUSES...

MERCI!

JE TE PRÉVIENS, JERIK, SI JAMAIS TU NOUS FAIS PERDRE NOTRE TEMPS, TU RETOURNES AUX OUBLIETTES JUSQU'À LA FIN DE TA PEINE!

OHHH, N'AY... N'AYEZ CRAINTE, GRAND KORRILLION.

BON, VOUS... VOUS VOUS SOUVENEZ DE KARMAKAS*, CE SORCIER QUE VOUS AVEZ EXPÉDIÉ EN... EN ENFER? IL RÉPÉTAIT SANS CESSE DANS SES CRISES QU'IL VOULAIT TU... TUER UN PORTEUR DE MA... MASQUES, UN CERTAIN AMOS DARAGON. ALORS JE SUIS ALLÉ DANS LA SECTION DE LA BIBLIOTHÈQUE OÙ...

...OÙ TU N'AS PAS LE DROIT D'ALLER, SALE VOLEUR, DANS LA SECTION QUI EST FORMELLEMENT INTERDITE AUX SUJETS DE TON ESPÈCE!

OUI, JE... D'ACCORD, J'Y SUIS ENTRÉ, MAIS BIEN PAR HASARD, ET ÉCOUTEZ PLUTÔT LA SUITE: J'AI DÉCOUVERT QUE LES PORTEURS DE MASQUES SONT DES ÊTRES CHOISIS PAR LA DAME BLANCHE POUR ASSURER L'ÉQUILIBRE DU MONDE.

LORSQUE LES DIEUX SONT EN GUERRE, CE SONT CES PORTEURS DE MASQUES QUI... QUI... QUI SONT CHARGÉS DE RAMENER LA PAIX. COMME NOTRE SITUATION SE RAPPROCHE BEAUCOUP DE CELLE-CI – CAR CE SONT LES DIEUX QUI SONT DERRIÈRE TOUT ÇA – PEUT-ÊTRE QUE CET AMOS DARAGON POURRAIT NOUS AIDER SI ON ARRIVAIT À LE FAIRE VENIR ICI?

* LIRE AMOS DARAGON, PORTEUR DE MASQUES.

19

EHHH BIENNN !!!

NOTRE CHER JERIK SE RÉVÈLE PARFOIS ÉTONNAMMENT INSPIRÉ.

RESTE QUAND MÊME UN POINT IMPORTANT À RÉGLER : QUI VA ALLER DÉBUSQUER CET AMOS ET LE RAMENER ICI ? SI J'EN CROIS VOS SOURIRES, ÉMINENTS ET ESTIMÉS COLLÈGUES, CHERS AMIS, NOUS SOMMES TOUS D'ACCORD. À TOUT SEIGNEUR, TOUT HONNEUR : JERIK PARTIRA À L'AUBE À LA RECHERCHE DE CET AMOS DAGARON.

DARAGON MAÎTRE, AMOS DA-RA-GON.

BIEN, J'AVISE DÈS CE SOIR CHARON ET LE BARON SAMEDI POUR LES FORMALITÉS. TU N'AS PAS DE TEMPS À PERDRE. INUTILE DE PRÉCISER QUE TU AS HAUTEMENT INTÉRÊT À RÉUSSIR CETTE MISSION SI TU NE VEUX PAS AVOIR AFFAIRE À MOI. PAS LA PEINE DE REVENIR ICI SANS AMOS.

BON VOYAGE...

L'envoyée du baron Samedi

24

MESSIEURS, JE SUIS AMOS DARAGON, CELUI QUE VOUS VOULIEZ VOIR. BIENVENUE À BERRION !

ATARAZAM, AMOS DARAGON WA OFOUMI. TÉ DÉSKOTO MANOVA LOLYA. KAKUKO*

ENFIN JE TE RENCONTRE, AMOS DARAGON, LES PRÉDICTIONS DU BARON SAMEDI SE SONT DONC RÉALISÉES. JE M'APPELLE LOLYA, REINE DE LA TRIBU DES DOGONS, ET J'AI FAIT UN LONG, UN TRÈS LONG VOYAGE POUR TE RENCONTRER.

*GUERRIERS, AMOS DARAGON EST DEVANT NOUS, FAITES ENTRER LA REINE LOLYA, VITE !

26

MON DIEU M'EST APPARU DANS UN RÊVE, ET IL M'A GUIDÉE JUSQU'À VOUS À TRAVERS LES DÉSERTS, LES FORÊTS ET LES MONTAGNES POUR QUE JE VOUS REMETTE UN PRÉSENT DE LA PART DE MON PEUPLE.

SAMAL RITTI, KAKUKO!*

OUVREZ, C'EST POUR VOUS!

CLAC CLAC

OOOH

*AMENEZ LE COFFRE, VITE!

27

CE MASQUE APPARTIENT À MA FAMILLE DEPUIS PLUSIEURS GÉNÉRATIONS, MAIS MON DIEU M'A DIT QUE VOUS EN AVIEZ BESOIN ET QUE VOUS SAURIEZ EN FAIRE BON USAGE. IL NE POSSÈDE ENCORE AUCUNE PIERRE DE PUISSANCE, MAIS VOUS CONNAISSEZ DÉJÀ SON POUVOIR.

OUI, LOLYA.

JE PORTE DÉJÀ LE MASQUE DE L'AIR SUR MOI ET MÊME AVEC UNE SEULE PIERRE, IL EST DÉJÀ D'UNE PUISSANCE REDOUTABLE.

VOUS LE PORTEZ? EN CE MOMENT MÊME? MAIS VOTRE VISAGE?...

LES MASQUES S'INTÈGRENT À MON VISAGE ET DEVIENNENT INVISIBLES.

ÉCOUTE AMOS, IL FAUT QUE JE TE PARLE SEULE À SEUL IMMÉDIATEMENT. BEAUCOUP DE CHOSES SE TRAMENT ET NOUS AVONS TRÈS PEU DE TEMPS.

???

28

...JUNOS, CES ÉTRANGERS ONT VOYAGÉ DE LONGUES SEMAINES POUR ME VOIR, AVEC LES MEILLEURES INTENTIONS COMME TU VIENS DE LE CONSTATER, PEUT-ÊTRE POURRAIS-TU LEUR OFFRIR À PRÉSENT L'ACCUEIL QU'ILS MÉRITENT ?

ROI, NOTRE PÉRIPLE POUR ATTEINDRE BERRION FUT PÉRILLEUX : BEAUCOUP DE MES HOMMES SONT MORTS EN CHEMIN. CEUX QUI SONT PARVENUS JUSQU'ICI SONT DIGNES DE RESPECT.

OUI, BIEN SÛR, BIEN SÛR, AMOS, TU AS RAISON, PARDONNEZ MA NÉGLIGENCE. CONSIDÉREZ-VOUS ICI CHEZ VOUS.

HEM HEM

DONNONS À CES HOMMES NOS MEILLEURS APPARTEMENTS ! MONTRONS-LEUR COMMENT BERRION SAIT RECEVOIR ! PRÉPARONS DÈS À PRÉSENT UNE FÊTE EN LEUR HONNEUR ! N'OUBLIEZ PAS QUE LA RÉPUTATION UNIVERSELLE DES CHEVALIERS DE L'ÉQUILIBRE, HÔTES SANS PAREIL, REPOSE SUR VOS...

VENEZ, JUNOS EST PARTI POUR UN LONG DISCOURS, VOUS SEREZ MORTE DE FAIM AVANT QU'IL AIT TERMINÉ SI VOUS NE ME SUIVEZ PAS !

AUJOURD'HUI, J'AI MANGÉ COMME UNE REINE !

OUI, TU AS MÊME BATTU BÉORF AU NOMBRE D'ASSIETTES, C'EST UN EXPLOIT !

NUANCE, JE SUIS GALANT...

FFFFF

BURP

TRÈS IMPORTANT LA GALANTERIE !

BOUM

NE T'INQUIÈTE PAS, BÉORF A LE SOMMEIL FACILE QUAND IL MANGE TROP. DANS QUELQUES MINUTES, IL RONFLERA SI FORT QU'ON NE POURRA MÊME PLUS S'ENTENDRE !

RRR

TANT MIEUX, CE QUE J'AI À TE CONFIER EST CONFIDENTIEL. ALLONS SUR LA TERRASSE, ET TU ME RACONTERAS EXACTEMENT CETTE HISTOIRE DE MASQUES.

RRRR

31

TU SAIS À PEU PRÈS TOUT : JE NE COMPRENDS TOUJOURS PAS POURQUOI J'AI ÉTÉ CHOISI PAR LA DAME BLANCHE, ET CE N'EST PAS TOUJOURS FACILE D'ASSUMER CES POUVOIRS, MAIS J'ESSAIE DE ME MONTRER DIGNE DE CETTE CONFIANCE.

TU AS TA MAGIE, AMOS, TU CONNAIS LES ÉLÉMENTS, MAIS MOI JE SUIS CAPABLE DE CAPTER L'ÉNERGIE DES MORTS. JE CONNAIS LE VAUDOU, JE PEUX CRÉER DES ZOMBIES ET COMMUNIQUER AVEC L'AU-DELÀ. LE BARON SAMEDI M'A ANNONCÉ QUE LE MONDE DES MORTS VOULAIT TE CONTACTER, VOILÀ POURQUOI JE SUIS VRAIMENT ICI, POUR OUVRIR UNE PORTE ENTRE CES DEUX MONDES.

COUCOU

LE MONDE DES MORTS ? QU'EST-CE QUE LES MORTS PEUVENT BIEN VOULOIR ME DIRE ?

JE N'EN SAIS PAS PLUS QUE TOI. LE BARON M'EST APPARU EN RÊVE POUR TE REMETTRE CE MASQUE, C'EST TOUT. MAIS IL Y A PEUT-ÊTRE UN MOYEN... ASSIEDS-TOI.

AVEC MES OSSELETS, NOUS POURRONS PEUT-ÊTRE EN SAVOIR DAVANTAGE.

TRANSMIS DE MÈRE EN FILLE, LES OSSELETS DIVINATOIRES PEUVENT DONNER DE PRÉCIEUSES INFORMATIONS SUR L'AVENIR, MAIS ILS RÉSERVENT LEURS INFORMATIONS AUX INITIÉES, SEULES CAPABLES DE DÉCHIFFRER LEUR SENS CACHÉ.

CHOKA CHOKA, RAYAN DARYAN, FANG OYEM, CHOKA CHOKA, RAYAN DARYAN, GUINK AFAN.

SHAK SHAKK SHHAK

REGARDE, AMOS : LES POSITIONS INDIQUENT PLUSIEURS CHOSES. D'ABORD TU DEVRAS FAIRE FACE À UN COMPLOT, ON VEUT SE SERVIR DE TOI POUR CAUSER LA PERTE DU MONDE. TU NE POURRAS PAS TE SERVIR DE TES POUVOIRS POUR VAINCRE LA FORCE DE TES ENNEMIS. TU DEVRAS TE MÉFIER DE TOUT LE MONDE, DE MOI AUSSI. JE VOIS AUSSI QUE TU DEVRAS SUIVRE TON CŒUR POUR ATTEINDRE UN ARBRE. IL Y A AUSSI UNE MAUVAISE NOUVELLE, TU PERDRAS UN AMI DANS CETTE AVENTURE, IL SE SACRIFIERA...

34

POURTANT, UN MOIS PLUS TARD...

ÇA NE PEUT PLUS DURER, AMOS. TU DOIS TROUVER UNE SOLUTION. TU SAIS QUE JE N'AI RIEN CONTRE LES DOGONS, ET QU'ILS SONT LES BIENVENUS...

...MAIS BERRION COMMENCE À S'INTERROGER SÉRIEUSEMENT SUR LA DURÉE DE LEUR PRÉSENCE...

QUAND LES PREMIÈRES RUMEURS ONT APPARU, JE ME SUIS BALADÉ AVEC LA REINE POUR QUE LE PEUPLE SE CALME.

MAIS MAINTENANT, C'EST TOUT JUSTE SI ON NE DIT PAS QUE JE SUIS DEVENU FOU ET QUE LES DOGONS ONT PRIS LE POUVOIR À MA PLACE !

EUH... ON LE DIT DÉJÀ...

TU VOIS !

36

38

41

-2-

Le Styx

...TOUS ICI RÉUNIS, BERRION ET SES HABITANTS N'OUBLIERONT JAMAIS CE QUE TU AS FAIT POUR EUX ET POUR NOUS, TES PARENTS, TES AMIS, DANS TA TROP COURTE VIE. TU ES PARTI AVANT NOUS POUR BRAHA, MAIS JE SUIS SÛR QUE LES DIEUX T'ONT DÉJÀ ACCUEILLI PARMI EUX, TA VIE LÀ-BAS EST DÉJÀ PLUS DOUCE ET PLUS BELLE QU'ICI. NOOON, JE LE REDIS : N'AYONS AUCUNE TRISTESSE, AUCUN REGRET. DE LÀ OÙ IL EST AUJOURD'HUI, AMOS NOUS REGARDE EN SOURIANT, SOURIONS-LUI NOUS AUSSI UNE DERNIÈRE FOIS.

46

DARAGON? JE NE TROUVE PAS TON NOM! TU N'ES PAS MORT! VA-T'EN, SALE MOUCHERON!

UNE SECONDE, CAPITAINE!

J'AI... UNE LETTRE, DU BARON SAMEDI, AU SUJET DE CET ENFANT... JE CROIS QUE VOUS FAITES... ERREUR.

ATTENTION, ÉCHELLE!

MMM... EFFECTIVEMENT, DANS CE CAS...

C'EST BON, DONNE L'ARGENT ET MONTE EN VITESSE. BRAHA NOUS ATTEND.

DE L'ARGENT?... MAIS JE N'EN AI PAS!

COMMENT ÇA TU N'AS PAS D'ARGENT? TU TE MOQUES DE MOI?

VÉRIFIEZ SOUS VOTRE LANGUE.

SI JE COMPRENDS BIEN, TON MAÎTRE MERTELLUS M'A FAIT ASSASSINER ET VENIR JUSQU'À BRAHA POUR TROUVER UNE SIMPLE CLÉ? ÉTAIT-CE VRAIMENT LA PEINE?

ABSOLUMENT, CETTE CLÉ EST ESSENTIELLE. SANS ELLE NOTRE VILLE RISQUE LITTÉRALEMENT D'EXPLOSER...

MAIS SI PLEIN DE MORTS ATTENDENT LEUR JUGEMENT À BRAHA, POURQUOI NE PAS LEUR DEMANDER À EUX DE CHERCHER CETTE CLÉ?

COMME JE VOUS L'AI DIT, SEUL UN MORTEL PEUT S'EN SAISIR, ET C'EST ENCORE PLUS COMPLIQUÉ...

MAIS JE VOUS ASSURE QUE MON MAÎTRE SAURA VOUS CONVAINCRE MIEUX QUE MOI QU'IL A AGI DANS L'INTÉRÊT DE TOUS...

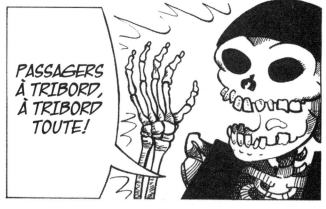

PASSAGERS À TRIBORD, À TRIBORD TOUTE!

52

53

JE NE SAIS VRAIMENT PAS COMMENT VOUS REMERCIER, JEUNE HOMME. VOUS M'AVEZ... EN QUELQUE SORTE... SAUVÉ LA VIE.

JE CROIS QUE J'ARRIVE UN PEU TARD POUR ÇA. QUE VOUS EST-IL ARRIVÉ ?

C'EST UNE HISTOIRE ASSEZ LONGUE ET RIDICULE QUI RISQUE PEUT-ÊTRE DE VOUS ENNUYER.

NOUS AURONS TOUT LE TEMPS DE NOUS ENNUYER À BRAHA.

TANT PIS, JE VOUS AURAI PRÉVENU.

SILENCE À BORD !

J'ÉTAIS, DE MON VIVANT, UN SAVANT TRÈS CÉLÈBRE, EXPERT EN MATHÉMATIQUES COMME EN LANGUES, AUSSI À L'AISE DANS L'ASTRONOMIE ET LA BOTANIQUE QUE DANS LA POÉSIE, ET JE N'ÉTAIS PAS PEU FIER DE TOUTES CES CONNAISSANCES...

OR, UN BEAU JOUR, J'AI DÛ EMBARQUER SUR UNE GOÉLETTE POUR ME RENDRE À UN CONGRÈS QUI VOULAIT S'ENORGUEILLIR DE MA PRÉSENCE. VOYAGER EN BATEAU ÉTAIT POUR MOI CHOSE NOUVELLE, MAIS JE N'EN VOULAIS RIEN LAISSER PARAÎTRE.

ALORS POUR ME RASSURER, PEUT-ÊTRE POUR ME VENGER, JE SUIS ALLÉ VOIR LE CAPITAINE ET JE LUI AI POSÉ TANT DE QUESTIONS INSOLUBLES POUR LUI QUE JE L'AI CONVAINCU D'AVOIR PERDU SA VIE EN BALIVERNES PLUTÔT QU'À ÉTUDIER COMME MOI.

MOINS DE DEUX JOURS PLUS TARD, UNE TEMPÊTE D'UNE PUISSANCE INFERNALE S'EST ABATTUE SUR NOUS. LES VOILES FURENT ARRACHÉES EN L'ESPACE D'UNE SECONDE ET LE BATEAU A COMMENCÉ À COULER.

CCRRRACKKK

YEP !

LE CAPITAINE M'A DEMANDÉ SI JE SAVAIS NAGER. J'AI RÉPONDU QUE NON. «ALORS DE NOUS DEUX JE CROIS QUE C'EST TOI QUI VIENS DE PERDRE TOUTE TA VIE», M'A-T-IL LANCÉ EN S'ÉLOIGNANT VERS LE RIVAGE. TOUT MON SAVOIR ÉTAIT IMPUISSANT... MA MORT M'A SERVI DE LEÇON, MAIS UN PEU TARD.

JE CROIS QUE JE VOUS COMPRENDS, URIEL. VOTRE HISTOIRE N'EST PAS SI DIFFÉRENTE DE LA MIENNE.

HEP !

MAMAN

AMOS DARAGON ? LE CAPITAINE DÉSIRE TE VOIR DANS SA CABINE, TOUT DE SUITE...

ENTRE, ENTRE, AMOS, N'AIE PAS PEUR... ASSIEDS-TOI, JE T'EN PRIE... TU VEUX BOIRE QUELQUE CHOSE?

VOUS VOULIEZ ME VOIR, CAPITAINE?

TOC TOC

LIQUEUR DE SERPENT? ALCOOL DE MANDRAGORE? BECHEROVKA?

CLING

JE NE BOIS PAS CAPITAINE, MERCI...

BON... ÉCOUTE MON GARÇON. JE VEUX QUE NOUS SOYONS BONS AMIS. JE SAIS QUE MON COMPORTEMENT PEUT SEMBLER ÉTRANGE, TU DOIS SANS DOUTE PENSER QUE JE SUIS CRUEL ET INSENSIBLE VOIRE MÊME QUE JE PRENDS PLAISIR À TORTURER DE PAUVRES GENS QUI VIENNENT DE MOURIR POUR UNE SIMPLE PIÈCE D'ARGENT, MAIS JE N'AI PAS LE CHOIX, CROIS-MOI.

GLOUGLOUGLOU

SACHE QUE JE N'AI PAS TOUJOURS ÉTÉ COMME ÇA. LES DIEUX M'ONT PUNI À LEUR MANIÈRE POUR AVOIR PARFOIS OUBLIÉ MA FAMILLE DE MON VIVANT. JE N'AI PAS TOUJOURS ÉTÉ UN BON PÈRE...

...NI UN BON MARI.

GLUPS

SHHUPP

TOUT À L'HEURE TU AS SACRIFIÉ SANS HÉSITER LE BIJOU QUE T'AVAIT OFFERT TA PROPRE MÈRE POUR SAUVER UN INCONNU. TON GESTE M'A TOUCHÉ PLUS QUE JE NE L'AURAIS CRU, J'AVAIS OUBLIÉ CE QU'ÉTAIT LA GÉNÉROSITÉ...

À PARTIR D'AUJOURD'HUI, CONSIDÈRE QUE J'AI UNE DETTE ENVERS TOI, AMOS, UNE ÉNORME DETTE.

EST-CE QUE TU VAS ENFIN M'EXPLIQUER À QUOI RIME CETTE COMÉDIE, JERIK ?

CHHHUT !

58

JE VEUX BIEN ATTENDRE JUSQU'À BRAHA, MAIS J'ESPÈRE QUE VOUS SAVEZ CE QUE VOUS FAITES.

HGGI

ZE SAIS TRÈS BIEN CE QUE ZE FAIS, HIPS, RAMÈNE-MOI ZUR LE PONT.

YEP

ET PIS VA ZOUER AVEC, HIPS, AVEC TES NOUVEAUX AMIS, TU AS DES AMIS TOI, FAUT EN PROFITER.

UNE FOIS LA CLÉ TROUVÉE, COUIC, UN COUP DE COUTEAU ET ADIEU AMOS DARAGON !

59

3

Les plans de Seth

62

VOUS AVEZ PRIVÉ DES PARENTS D'UN FILS, UN PEUPLE D'UN AMI. MAIS CE MEURTRE NE RESTERA PAS IMPUNI ! NOUS VOUS PRIVERONS À NOTRE TOUR DES ANNÉES QUE VOUS AVEZ VOLÉES À AMOS.

VOICI LA SENTENCE, SIRE.

HMMMM

BIEN, LISEZ !

LE TRIBUNAL DE BERRION VOUS CONDAMNE À L'UNANIMITÉ AU CHÂTIMENT DES FÉES DU BOIS DE TARKASIS. VOUS ENTREREZ DANS CE BOIS COMME UNE ENFANT ET VOUS RESSORTIREZ DANS CINQUANTE ANS PLUS VIEILLE ET PLUS FOURBUE QU'UNE GRAND-MÈRE.

HUM HUM

JE VOUS DIS QU'AMOS EST VIVANT, POURQUOI NE M'ÉCOUTEZ-VOUS PAS ?

CLING

AHHH ! ! !

C'EST PARTI !

HA ! HA ! HA ! PAUVRES CLOWNS.

63

64

DEUX DÉTAILS ENCORE : AMENEZ LOLYA ET LES DOGONS AVEC VOUS. LA PETITE SERA PRÉCIEUSE POUR OUVRIR LES PORTES DE LA PYRAMIDE ET SES SOLDATS NE SERONT PAS DE TROP POUR CE VOYAGE.

QUANT À TOI, JUNOS, PRENDS GARDE ! TU ABRITES UN ESPION DANS TON CHÂTEAU. À TA PLACE, JE ME MÉFIERAIS DE TON PERSONNEL ET DE CEUX QUI REMPLISSENT TES ASSIETTES...

RENDEZ-VOUS À MAHIKUI !

AMOS EST VIVANT !

GARDES, ENVOYEZ UNE PATROUILLE POUR ARRÊTER LE CUISINIER ! BÉORF, COURS AU CIMETIÈRE ET RAMÈNE AMOS AU CHÂTEAU !

À VOS ORDRES, SIRE.

...APRÈS ÇA LE SQUELETTE A DISPARU, LOLYA S'EST ÉVANOUIE ET JE SUIS ALLÉ TE CHERCHER. LE BARON A AUSSI DIT QUE TU N'ÉTAIS PAS MORT, SEULEMENT ENDORMI. MOI, J'AIMERAIS BIEN QUE CE SOIT VRAI...

...PEUT-ÊTRE PEUX-TU M'ENTENDRE, MAIS PAS BOUGER, ÇA DOIT ÊTRE PÉNIBLE. TOUT EST TRISTE AUSSI POUR NOUS DEPUIS QUE TU N'ES PLUS LÀ.

TU AVAIS RAISON AU FAIT POUR LE CUISINIER : IL A DISPARU AVANT QUE LES GARDES L'ARRÊTENT.

TAP TAP TAP TAP

OUPS !

IL DOIT COURIR DANS LA NATURE À L'HEURE OÙ IL EST.

PAS SI DISPARU QUE ÇA...

C'EST ÇA, VA REJOINDRE TON CAMP. JE VERRAI BIEN POUR QUI TU TRAVAILLES.

VOILÀ COMMENT ON RÉALISE DES ÉCONOMIES SUR LE PERSONNEL...

CLING
CLING

OH, NON ! YAUNE !

POUR UN CHEVALIER BANNI RÉDUIT À L'ÉTAT DE MENDIANT, IL N'AURA PAS MIS LONGTEMPS À SE REFAIRE.

FRRRRR

JUNOS SERA SÛREMENT RAVI DE SAVOIR QUE SON PIRE ENNEMI EST DE RETOUR.

TAP
TAP
TADAP

ES-TU PRESSÉ, BÉORF BROMANSON ?

PIC

SI J'AVAIS DANS MA TROUPE DES HOMMES AUSSI PUISSANTS QUE TOI JE SERAIS DÉJÀ MAÎTRE DU MONDE, DOMMAGE QUE TU SOIS AUSSI BÊTE.

TCHAC

JE PRÉFÈRE ENCORE GAGNER À MA MANIÈRE AVEC UN ŒIL EN MOINS PLUTÔT QUE DE CREVER À LA TIENNE.

D'ICI QUELQUES MINUTES, LE POISON APPLIQUÉ SUR MA LAME DEVRAIT FAIRE SON EFFET... TU DIRAS BONJOUR À TES PARENTS DE MA PART !

MES PARENTS... JE VAIS REVOIR MES PARENTS.

71

TU SAIS TRÈS BIEN CE QUI M'EST ARRIVÉ, SETH. SI J'AVAIS CETTE ARMÉE QUE TU M'AS PROMISE JE N'AURAIS MÊME PAS EU À ME BATTRE.

ALLONS DONC, TU VEUX CONQUÉRIR LE MONDE, MAIS IL TE FAUT UNE ARMÉE JUSTE POUR TE DÉBARRASSER D'UN JEUNE OURS ?

EXCUSE-MOI, MAIS TU N'AS PAS BEAUCOUP MIEUX RÉUSSI AVEC LE JEUNE DARAGON, Ô PUISSANT SETH.

NUANCE, KARMAKAS ÉTAIT UN INCAPABLE.

D'AILLEURS, JE NE SUIS PAS SÛR QUE TU VAILLES MIEUX.

JE... JE N'OUBLIE PAS, SETH... JE SAIS CE QUE JE TE DOIS...

JE TE CONSEILLE DE NE PAS OUBLIER QUI T'A SORTI DE LÀ...

TEUH TEUH

EN PLUS, TU MENS COMME TU RESPIRES, C'EST CE QUE JE PRÉFÈRE CHEZ TOI !

TU M'AS BIEN SERVI, PETIT CHEVALIER... MIEUX QUE JE NE LE PENSAIS. TU AS TUÉ ET ÉGORGÉ SANS PITIÉ, TU AS RASÉ LES VILLAGES, TU AS ÉLIMINÉ TOUTE TRACE DE VIE HUMAINE DANS LA RÉGION. MAINTENANT, ÉCOUTE BIEN...

...ET CONSTATE QUE SETH, LE DIEU DE LA JALOUSIE ET DE LA TRAÎTRISE EST ÉGALEMENT UN STRATÈGE ACCOMPLI. IL Y A DE CELA QUELQUE TEMPS, J'AI FAIT ENLEVER LE DIEU SUPRÊME DE LA JUSTICE, FORSETE. CETTE DISPARITION A EU POUR FÂCHEUSE CONSÉQUENCE DE FERMER LES PORTES DE BRAHA.

74

GANHAUS, QUI TRAVAILLE POUR MOI DEPUIS QUE J'AI PROMIS DE LIBÉRER SON FRÈRE, N'A EU QU'À INVENTER CETTE LÉGENDE DE CLÉ POUR QUE LES AUTRES JUGES TOMBENT DANS LE PANNEAU. JERIK A AJOUTÉ SON HISTOIRE DE PORTEUR DE MASQUES ET IL N'EN FALLAIT PAS PLUS POUR QUE MERTELLUS CONVAINQUE LE BARON SAMEDI DE FAIRE VENIR AMOS À BRAHA.

PUFF

MAIS LÀ OÙ JE SUIS VRAIMENT MACHIAVÉLIQUE, PETIT CHEVALIER, C'EST QUE CETTE CLÉ EXISTE BEL ET BIEN, ET QU'ELLE OUVRE NON PAS LES PAUVRES PORTES DE BRAHA, MAIS LE PASSAGE DE LA GRANDE PYRAMIDE ENTRE LE MONDE DES MORTS ET CELUI DES VIVANTS !

76

4

Sur la route de Braha

QUEL DOMMAGE DE TE TROUVER ICI, JEUNE HOMME. C'EST TELLEMENT TRISTE DE MOURIR À TON ÂGE.

PLAISIR PARTAGÉ, ÉDONF, OMAIN EST ENFIN DÉBARRASSÉ DE TA PRÉSENCE.

PAR ICI.

OMAIN? OMAIN N'EXISTE PLUS. UN DÉMON, UNE BÊTE SORTIE TOUT DROIT DES ENFERS AVEC UN M, GRAVÉ SUR LE FRONT A MASSACRÉ TOUTE LA POPULATION ET MON ARMÉE SANS CRIER GARE.

UN M GRAVÉ SUR LE FRONT? YAUNE!

À PART LE TYPE LÀ-BAS QUE JE NE CONNAIS PAS, TOUT LE CIMETIÈRE A ÉTÉ REMPLI PAR CE DÉMON.

DIS-MOI, CE N'EST PAS TOI QUE LOLYA POURSUIVAIT AVEC UN COUTEAU DANS LES CUISINES DE BERRION?

HEIN, QUI, MOI? MOI?

BAH, JE PEUX AUSSI BIEN VOUS DIRE LA VÉRITÉ : C'ÉTAIT BIEN MOI, MESSIRE AMOS. LOLYA DISAIT VRAI. J'AVAIS BESOIN D'ARGENT, MA FEMME ÉTAIT MALADE. QUAND CET HOMME M'A PROPOSÉ DE ME PAYER POUR QUE JE LUI RAPPORTE CE QUI SE PASSAIT À BERRION, JE N'AI PAS HÉSITÉ, MAIS JE N'AI PAS DIT GRAND CHOSE. SEULEMENT VOTRE ASSASSINAT, L'EXHUMATION DE VOTRE CORPS, LES PRÉPARATIFS DE L'EXPÉDITION.

ON A DÉTERRÉ MON CORPS ???

C'EST CE QU'A ORDONNÉ LE BARON SAMEDI. LOLYA N'ÉTAIT QU'UN PION DONT IL SE SERVAIT POUR VOUS AMADOUER. C'EST LUI QUI A TOUT INVENTÉ : LE MASQUE, LA CÉRÉMONIE...

ET CETTE EXPÉDITION ?

IL ÉTAIT QUESTION JE CROIS D'EMMENER VOTRE CORPS DANS UN DÉSERT, MAIS JE N'EN SAIS PAS PLUS.

IL DOIT S'AGIR DU DÉSERT DE MAHIKUI, AMOS.

MAHIKUI, C'EST ÇA !

MON SAVOIR NE M'A PAS EMPÊCHÉ DE ME NOYER, MAIS IL POURRA SANS DOUTE T'ÉCLAIRER.

83

TU CONNAIS DÉJÀ PAR JERIK LE RÔLE DE BRAHA, ET SON FONCTIONNEMENT. CE QUE TU IGNORES SANS DOUTE, C'EST QUE BRAHA A D'ABORD LONGTEMPS EXISTÉ ICI DANS LE MONDE RÉEL. C'ÉTAIT UNE VILLE MAGNIFIQUE JUSQU'À CE QU'UNE VIOLENTE TEMPÊTE DE SABLE LA RAYE DE LA CARTE. C'EST À CE MOMENT QUE LES DIEUX ONT DÉCIDÉ D'Y RECEVOIR LES ÂMES DES MORTS POUR LES JUGER.

D'APRÈS CE QUE JE SAIS, UNE PETITE PARTIE DE BRAHA EXISTE ENCORE DANS NOTRE MONDE – NOTRE ANCIEN MONDE JE VEUX DIRE. DANS LA GRANDE PYRAMIDE DU CENTRE DE LA VILLE, UNE SALLE FERAIT LA JONCTION ENTRE LES DEUX UNIVERS. LE SOMMET DE CETTE PYRAMIDE ÉMERGE DANS LE DÉSERT DE MAHIKUI, MAIS IL RESTE CACHÉ PAR LES NUAGES AUX HABITANTS DE BRAHA...

WHHSSSSSSSSSSSSSSSS

ALLEZ!

JE VEUX BIEN, MAIS JE NE VOIS TOUJOURS PAS QUEL INTÉRÊT A LE BARON SAMEDI À ORDONNER QU'ON MÈNE MON CORPS LÀ-BAS.

C'EST SIMPLE.

JERIK A DÛ TE RACONTER QUE SELON LA LÉGENDE, SEUL UN MORTEL PEUT SE SAISIR DE LA CLÉ?

HÉ, VOUS!

ON SE POUSSE.

OUI, MAIS AUJOURD'HUI JE SUIS UN SPECTRE TOUT COMME VOUS, JE NE VOIS PAS CE QUE JE...

EXACT MON GARÇON, TU AS TOUT COMPRIS. MÊME SI TU TROUVAIS CETTE CLÉ, TU NE POURRAIS PAS T'EN SAISIR SOUS TA FORME ACTUELLE. VOILÀ POURQUOI LE BARON SAMEDI A ORDONNÉ QUE TON CORPS SOIT TRANSPORTÉ DANS LA PYRAMIDE.

HÉ!

SI MON CORPS EST PLACÉ DANS LA PYRAMIDE ALORS CELA SIGNIFIE QU'OBLIGATOIREMENT... LA CLÉ Y EST AUSSI.

OUI! C'EST LÀ LE PROBLÈME: PERSONNE N'A JAMAIS RÉUSSI À PÉNÉTRER DANS LA PYRAMIDE DE BRAHA...

87

BRAHA, CITÉ DES MORTS! TERMINUS! TOUT LE MONDE DESCEND!

AU REVOIR CAPITAINE, MERCI.

SOUVIENS-TOI DE CE QUE JE T'AI DIT FISTON, SI UN JOUR TU AS BESOIN D'AIDE...

ÇA M'ÉTONNERAIT QU'ON T'EN LAISSE LE TEMPS.

HÉ! HÉ! HÉ!

JE VAIS ENCORE DEVOIR HAUSSER LE TON, MAIS N'Y PRENDS PAS GARDE S'IL TE PLAÎT, TU SAIS QUE CE N'EST PAS DE BON CŒUR.

...

DEHORS, BANDE D'INCAPABLES, JE NE VEUX PLUS VOIR PERSONNE SUR MON PONT DANS CINQ MINUTES! SI ÇA NE TENAIT QU'À MOI VOUS IRIEZ TOUS EN ENFER TELLEMENT VOUS ÊTES LAIDS...

KORRILLION, GANHAUS, JE N'AURAIS PAS MISÉ UN SOU SUR LES CHANCES DE JERIK, MAIS BRAHA VIENT PEUT-ÊTRE D'ACCUEILLIR SES SAUVEURS.

PAR ICI, PRESSONS!

URIEL, VIEILLE CRAPULE!

AH... VOICI DONC LE CÉLÈBRE AMOS DARAGON DONT JERIK NOUS A DIT TANT DE BIEN.

MAIS CE N'EST...

JERIK, TAIS-TOI.

JE...

CHUT !

JOUEZ LE JEU, URIEL, MIEUX VAUT NE PAS AVOIR CES TROIS VIEILLARDS SUR LE DOS POUR CHERCHER LA CLÉ.

C'EST UN GRAND HONNEUR ET UNE CHANCE INESTIMABLE DE VOUS AVOIR À NOS CÔTÉS.

TOUT BRAHA COMPTE SUR VOUS !

IMBÉCILES !!

LAISSEZ-MOI VOUS PRÉSENTER MON JEUNE SECRÉTAIRE... DARWICHE... DARWICHE CHAUSSETTE.

ENCHANTÉ.

ALLONS, ALLONS, VOUS DEVEZ ÊTRE TRÈS FATIGUÉS. VENEZ AU PALAIS POUR VOUS REPOSER

VOUS VERREZ, LES FANTÔMES N'ONT PAS BESOIN DE DORMIR, C'EST UN VIEUX RÉFLEXE QUE NOUS GARDONS LONGTEMPS, MAIS VOUS POURREZ FAIRE UNE SIESTE, NOUS VOUS VOULONS EN FORME !

AU PALAIS, COCHER, ET AU TROT.

OUI, SIRE.

DIS DONC MERTELLUS NE T'A MÊME PAS SALUÉ !

OH, C'EST... NORMAL, JE SUIS UN SECRÉTAIRE... J'OBÉIS AUX ORDRES.

EH BIEN, IL NE CONNAÎT PAS TA VRAIE VALEUR.

VOUS... VOUS LE PENSEZ VRAIMENT ? C'EST TRÈS GENTIL.

S'IL VOUS PLAÎT...

UNE PETITE PIÈCE, SEIGNEURS ?

JERIK, MON VIEUX, MÊME MOI JE COMMENCE À ME DÉTESTER...

JERIK, AMOS LOGERA AVEC NOUS DANS L'AILE OUEST, VOUS DONNEREZ À MONSIEUR CHAUSSETTE LA CHAMBRE DE LA TOUR, C'EST ENTENDU ?

QU'Y A-T-IL ?

JE SUIS DÉSOLÉ MAIS VOUS ALLEZ DEVOIR DORMIR DANS UNE PETITE CHAMBRE, À L'AUTRE BOUT DU CHÂTEAU.

PARFAIT, VOUS NE POUVIEZ PAS MIEUX FAIRE POUR ME LAISSER LE CHAMP LIBRE.

ARKILLION, CONTENT !

EUGUEÏN ! EUGUEÏN !

94

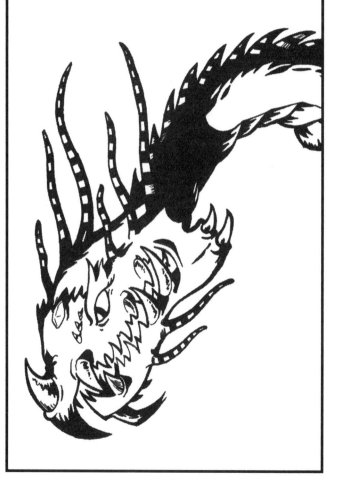

-5-

Braha, la cité des morts

JUNOS AVAIT ATTENDU LE RETOUR DE BÉORF, MAIS LE TEMPS PRESSAIT. L'ÉCLIPSE APPROCHAIT ET L'EXPÉDITION NE POUVAIT ATTENDRE. ACCOMPAGNÉ DE LOLYA ET D'UNE VINGTAINE DE DOGONS, LE CONVOI SE MIT EN ROUTE VERS LE DÉSERT DE MAHIKUL

NE VOUS INQUIÉTEZ PAS, BÉORF REVIENDRA, IL SAIT OÙ NOUS ALLONS...

TU VOIS, C'EST ÉTRANGE, MAIS JE N'AI AUCUNE CONFIANCE QUAND CES PROPOS VIENNENT DE TOI.

ROI, JE...

AMOS LUI, T'A FAIT CONFIANCE, ET REGARDE CE QUI LUI EST ARRIVÉ...

BERRION A EU BEAUCOUP DE MAL À SE REMETTRE DES ATTAQUES DE KARMAKAS ET DE YAUNE, NOUS COMMENCIONS À PEINE À RETROUVER LA PAIX QUAND TU ES ARRIVÉE.

QUE TU AIES ÉTÉ ENVOÛTÉE OU NON NE CHANGE RIEN : TU ES RESPONSABLE DE LA MORT D'AMOS, ET TU N'ES LÀ QUE POUR L'AIDER À REVENIR. AU MOINDRE FAUX PAS DE TA PART, JE N'HÉSITERAI PAS...

SEIGNEUR JUNOS, SEIGNEUR JUNOS.

LES DOGONS ONT DÉCOUVERT UN BLESSÉ !

QUOI, DÉJÀ ?

ON DIRAIT...

BÉORF, C'EST BÉORF.

SOLDATS, DRESSEZ LE CAMP IMMÉDIATEMENT ! DOUBLEZ LA GARDE !

LE SOIR MÊME DANS LA TENTE DE L'INFIRMERIE...

ON PEUT DIRE QUE TU AS DE LA CHANCE, BÉORF BROMANSON. TES BLESSURES ÉTAIENT TOUTES EMPOISONNÉES, MAIS JE CONNAIS LES REMÈDES QUI TE SOIGNERONT.

TON TEMPS N'EST PAS ENCORE VENU. TU DOIS VIVRE !

FLOTCHH

SSHHHH

PLIC

PLIC

JE NE VEUX PAS TE PORTER MALHEUR NON PLUS.

JE NE SAIS PAS CE QUI SE PASSE, JE SENS QUELQUE CHOSE EN MOI, UNE FORCE QUI GRANDIT. JE ME SENTAIS PUISSANTE, MAIS AUJOURD'HUI J'AI PEUR QU'ELLE SE RETOURNE CONTRE MOI, J'AIMERAIS QUE TU SOIS À MES CÔTÉS CE JOUR-LÀ.

HUM, COMMENT VA NOTRE BLESSÉ?

IL RONFLE COMME UN BIENHEUREUX, ROI.

RRRR

QUOI QUE JE PUISSE PENSER DE TOI, JE... JE TE SUIS RECONNAISSANT DE SOIGNER NOTRE AMI.

FLLL

PENSEZ CE QUE VOUS VOULEZ DE MOI, JE SOIGNE BÉORF PARCE QU'IL EST MON AMI, PAS LE VÔTRE.

C'A LE MÉRITE D'ÊTRE CLAIR. MAIS NOUS AVONS ENCORE BESOIN DE TON AIDE.

MES SOLDATS VIENNENT DE RETROUVER LE CADAVRE DU CUISINIER... DÉCAPITÉ. PEUX-TU SAVOIR QUI A FAIT ÇA, AVEC TES DONS?

CHERCHEZ UN SERPENT, VOUS TROUVEREZ PEUT-ÊTRE...

JE VOUS ÉCOUTE.

99

APRÈS D'INTERMINABLES SEMAINES DE VOYAGE, LA TROUPE DE JUNOS ARRIVE ENFIN EN VUE DU DÉSERT DE MAHIKUL. LE CONVOI ET SES HOMMES SONT ÉPUISÉS, MAIS BÉORF, ATTENTIVEMENT SOIGNÉ PAR LOLYA, A PARFAITEMENT RÉCUPÉRÉ DE SES BLESSURES.

J'AI FAIM, QUAND EST-CE QU'ON S'ARRÊTE ?

HEUREUX DE TE VOIR SI VITE EN PLEINE FORME, BÉORF.

HORMIS CE PETIT CREUX À COMBLER, JE M'ÉTONNE MOI-MÊME DE MON ÉTAT !

LOLYA EST VRAIMENT UNE INFIRMIÈRE EXTRA...

MMM...

NE L'ÉCOUTEZ PAS LOLYA, JUNOS EST FATIGUÉ COMME NOUS. JE VAIS VOUS AIDER À DESCENDRE.

TU NE COMPRENDS PAS. C'EST TRÈS...

...GRAVE.

LOLYA!

BÉORF, IL FAUT M'ÉLOIGNER DU CAMP AU PLUS VITE, J'AI UN MAUVAIS PRESSENTIMENT. ACCOMPAGNE-MOI, TU N'AS RIEN À CRAINDRE.

JUNOS, JE VAIS FAIRE MARCHER LOLYA.

DU MOMENT QU'ELLE N'EST PAS DANS MES PATTES ET QU'ELLE RESTE ATTACHÉE, FAITES CE QUE VOUS VOULEZ.

MERCI BÉORF, DÉPÊCHONS-NOUS, JE N'AI PAS BEAUCOUP DE TEMPS DEVANT MOI.

LÀ-HAUT, NOUS SERONS ASSEZ LOIN.

TOUT VA BIEN, LOLYA?

ASSIEDS-TOI, JE VAIS T'EXPLIQUER. JE FAIS PARTIE DE LA RACE DES ANCIENS, LES PREMIERS HABITANTS DU MONDE.

TOI, UNE ANCIENNE? PFF... TU AS JUSTE DEUX ANS DE PLUS QUE MOI.

JE NE PLAISANTE PAS BÉORF, LE BARON SAMEDI A PLACÉ EN MOI UN CRISTAL DE DRACONITE ET IL... IL COMMENCE À AGIR.

REGARDE MES MAINS.

MAIS...

CLING CLING

RESTE AVEC MOI, JE T'EN PRIE! SURTOUT RESTE AVEC MOI, NE T'ÉLOIGNE PAS!

LOLYAA !!!

CLING CLING

LOLYA

SILENCE, J'AI DIT!

MAIS...

ALLEZ, VOUS SAVEZ CE QUE VOUS AVEZ À FAIRE.

COUCOU!

PARFAIT, LA VOIE EST LIBRE.

NEUTRALISEZ LES GARDES ET TROUVEZ AMOS. MOI, JE M'OCCUPE DE JUNOS.

ARGHHH

ROI DORMIR DANS CETTE TENTE, CHEF.

REGARDEZ-MOI ÇA, NOTRE GRAND ROI JUNOS QUI RONFLE COMME UN BÉBÉ! COMME C'EST MIGNON!

ZZZZ

QUAND JE PENSE QUE C'EST POUR ÇA QUE BERRION M'A CHASSÉ...

UN VIEILLARD EN BONNET DE NUIT.

MRPFF

TOUT DOUX JUNOS, TOUT DOUX, ET PAS LA PEINE D'APPELER TES GARDES, ILS SONT DÉJÀ MORTS OU PRISONNIERS.

TAP

106

IL ÉTAIT INSTALLÉ DANS CHARIOT. LES SOLDATS PAS OPPOSÉ RÉSISTANCE, SAUF CINQ... TUÉS.

COUIC!!!

SEULS LES PRISONNIERS LES PLUS VAILLANTS NOUS ACCOMPAGNERONT, PRÉPARE LE CONVOI ET PARTONS!

OTCHA...

DA

AMOS

PAF

QUANT À NOUS, EX-ROI JUNOS...

JE SENS QUE LA TRAVERSÉE DU DÉSERT VA ÊTRE D'UN INTÉRÊT BRÛLANT.

OUBLIE LOLYA, C'ÉTAIT MON ENVELOPPE... ELLE VOULAIT T'EXPLIQUER CE QU'ÉTAIENT LES ANCIENS, EH BIEN TU EN AS UN DEVANT LES YEUX, MON NOM EST KUR. N'AIE PAS PEUR, BÉORF BROMANSON, JE TIENS À TE GARDER EN VIE.

APRÈS TOUT, JE SUIS UN PEU COMME TOI: MOITIÉ DRAGON, MOITIÉ HUMAIN, NOUS SOMMES DE LA MÊME FAMILLE. BIENTÔT, JE FERAI RENAÎTRE D'AUTRES DRAGONS POUR PRÉPARER NOTRE RETOUR AU POUVOIR, MAIS AVANT JE VAIS TE DIRE QUI NOUS SOMMES, POUR QUE TU RACONTES NOTRE HISTOIRE...

MMM, CAILLOUX, BONNE NOURRITURE.

?

CRAC

RIEN DE TEL POUR CRACHER DE BELLES FLAMMES.

REVENONS À NOTRE HISTOIRE : À L'ORIGINE DU MONDE NOS ANCÊTRES NANDA ET UPANANDA GARDAIENT UNE COLONNE D'OR DANS LE LAC ANAVATAPA.

CETTE COLONNE GARANTISSAIT LA STABILITÉ DU MONDE, MAIS LES HUMAINS, QUI AIMENT L'OR, ONT TUÉ NANDA ET UPANANDA POUR S'EN EMPARER, DÉCLENCHANT AINSI DE TERRIBLES CATACLYSMES. AUTREFOIS, CHAQUE MONTAGNE AVAIT SON DRAGON. NOUS ÉTIONS LES MAÎTRES, LES JUGES ET LES AVOCATS. NOUS RÉGNIONS PAR LA TERREUR, NOUS TUIONS SANS COMPTER, ET NOUS ÉTIONS RICHES...

À UN POINT QUE TU N'IMAGINES MÊME PAS. NOUS DORMIONS SUR DE VÉRITABLES COLLINES D'OR. ET PUIS L'HOMME A VOULU NOUS EXTERMINER, AZI-DAHAKA A ÉTÉ ENCHAÎNÉ ET TORTURÉ, ROUILLON A ÉTÉ DÉCOUPÉ EN MORCEAUX.

111

6

Darwiche Chaussette

ALORS, JEUNE DARWICHE CHAUSSETTE, BRAHA VOUS PLAÎT ? IL PARAÎT QUE VOUS PASSEZ VOS JOURNÉES À VOUS PROMENER DANS LES RUELLES DE LA VILLE. BRAHA EST UNE CITÉ PASSIONNANTE, N'EST-CE PAS ?...

C'EST SURTOUT POUR NE PAS DÉRANGER MON MAÎTRE DANS SES RECHERCHES QUE JE NE RESTE PAS AU PALAIS...

OUPS, PARDON !

DANGEREUSE OUI...

HOP !

HÉÉ !

CRUNCH

CHOK

MAIS VOUS AVEZ RAISON, VOTRE VILLE EST VRAIMENT FASCINANTE.

MÉFIEZ-VOUS...

BRAHA FASCINE AUTANT QU'ELLE BLESSE, JEUNE DARWICHE...

RAMÈNE-MOI TOUT DE SUITE UNE SERVIETTE PROPRE, INCAPABLE !

EN TOUT CAS, J'Y AI FAIT DES RENCONTRES SURPRENANTES.

MAIS VOUS AVEZ RAISON, KORRILLION, TOUS LES QUARTIERS DE BRAHA NE SONT PAS SÛRS. HIER, JE SUIS ARRIVÉ SUR UNE PLACE DÉSERTE PRÈS D'UNE ÉGLISE. COMME J'ÉTAIS FATIGUÉ JE ME SUIS ASSIS À L'OMBRE D'UN ARBRE POUR ME REPOSER. SITÔT INSTALLÉ, TROIS ÉNORMES CHIENS NOIRS SONT SORTIS DE NULLE PART ET SE SONT JETÉS SUR MOI EN HURLANT.

J'AI À PEINE EU LE TEMPS DE M'ENFUIR, MAIS SITÔT SORTI DE CETTE PLACE, LES CHIENS ONT DISPARU COMME PAR MAGIE... J'AVOUE QUE JE N'AI RIEN COMPRIS...

JE PENSE QUE JE PEUX VOUS ÉCLAIRER, JEUNE HOMME, IL SE TROUVE QUE C'EST MOI QUI AI TRAITÉ LE DOSSIER DE CES TROIS MALFRATS...

SLURP

PAS BÊTE CE GARÇON BON JE VEUX QUE VOUS LE SUIVIEZ À LA TRACE. SUIVEZ-LE JUSQU'À CE QU'IL TROUVE LA CLÉ, PUIS JETEZ-LE DANS LE STYX ET RAMENEZ-MOI LA CLÉ...

MAIS SETH A DIT QUE...

LES PLANS ONT CHANGÉ!

PAS FÂCHÉ D'ÊTRE SORTI DE TABLE, ILS COMMENCENT À M'ENNUYER SÉRIEUSEMENT. AVEC LEURS HISTOIRES ET LEURS PETITES QUERELLES, J'AI À PEINE LE TEMPS DE CHERCHER LA CLÉ ET LE TEMPS PRESSE.

MIAWW.

OUPS, PARDON, LE CHAT!

RRRHHH

TU N'AURAIS PAS TROUVÉ UNE CLÉ, PAR HASARD?

SHHHHHH

POUSSEZ-VOUS DE LÀ, BANDE DE CADAVRES, JE VAIS LE PERDRE!

DÉGAGEZ, BON SANG!

JERIK?

118

119

120

ALORS C'EST TOI LE PLUS GRAND VOLEUR DE TOUTE LA VILLE?

UH?

LA PLUS GROSSE BOSSE DE BRAHA, ÇA D'ACCORD!

AÏE!

MAIS PARDONNE-MOI, JE ME MOQUE ET JE MANQUE À TOUS MES DEVOIRS. JE ME PRÉSENTE, ARKILLON, LE PLUS GRAND VOLEUR DE BRAHA TOUT COMME TOI.

VOICI CHHOUNY, MON PRÉCIEUX BRAS DROIT, FIDÈLE ET DISCRET.

EUGUEÏN

UHH

ET LUI C'EST OUGOCIL, LE PLUS BÊTE DES BARBARES DE BRAHA, ET ACCESSOIREMENT MON GARDE DU CORPS...

VOIS-TU DARWICHE, J'AI BEAUCOUP DE RESPECT POUR LES VOLEURS, MAIS JE DÉTESTE LES MENTEURS...

JEUNE GARÇON, PROFITE DU SPECTACLE : TU AS DEVANT TOI L'ÉLITE DES DÉTROUSSEURS DE BRAHA, LA CRÈME DES VOLEURS. TOUS INVITÉS PAR MES SOINS POUR VÉRIFIER SI TU ES BIEN CELUI QUE TU AFFIRMES.

VOILÀ NEDVED-DOIGTS-DE-FÉE.

AHOJ !

SOKKHOM NOFIR.

ARRH !

SCHMITT-LE-VIRTUOSE ET SA PETITE ENTREPRISE.

ET BIEN SÛR L'OMBRE, LE MEILLEUR DE TOUS !

!!!

L'OMBRE, MAIS... C'EST MOI ?

C'EST TOI ET NOUS TOUS À LA FOIS DARWICHE. L'OMBRE, VIENT ICI !

MES TALENTS SONT À TON SERVICE, Ô GRAND ARKILLON.

L'OMBRE EST CAPABLE DE PRENDRE L'APPARENCE DE N'IMPORTE QUEL INDIVIDU À L'EXCEPTION D'OUGOCIL. IL A SES PRINCIPES, IL TROUVE INSULTANT D'IMITER QUELQU'UN D'AUSSI BÊTE.

BIEN, À PRÉSENT IL EST TEMPS DE TESTER NOTRE AMI DARWICHE.

TU VOIS LA TABLE GARDÉE PAR LES QUATRE GAILLARDS EN ARMES ?

J'AI POSÉ SUR CETTE TABLE UNE CORBEILLE CONTENANT CINQUANTE CUILLERS D'ARGENT.

SI TU ARRIVES À EN VOLER UNE SANS TE FAIRE PRENDRE, TU POURRAS TE CONSIDÉRER DE NOTRE FAMILLE. SI TU ÉCHOUES TU IRAS NOURRIR LES POISSONS DU STYX. JE ME SUIS BIEN FAIT COMPRENDRE ?

DÉMONSTRATION : L'OMBRE.

VAMOS.

GRÂCE À SES MULTIPLES APPARENCES, IL PEUT SE DÉPLACER SANS ÉVEILLER LE MOINDRE SOUPÇON.

SCUSI.

VOIS PLUTÔT.

VOTRE ALTESSE.

MERCI TRÈS BIEN CETTE NOUVELLE APPARENCE.

VRAIMENT !

ET MAINTENANT DARWICHE, TU ES TOUJOURS LE PLUS GRAND VOLEUR DE BRAHA ?

SANS HÉSITER ! REGARDE !

VOTRE ATTENTION S'IL VOUS PLAIT NOBLES DÉTROUSSEURS ! ARKILLON, EN PRINCE ATTENTIF A FAIT APPEL À MES MODESTES TALENTS DE MAGICIEN POUR VOUS DIVERTIR. JE SUIS SANS DOUTE MOITIÉ MOINS FORT QUE LE MOINS DOUÉ D'ENTRE VOUS, MAIS SI L'UN DE CES GARDES VEUT BIEN ME DONNER UNE DES CUILLERS POSÉES SUR LA TABLE, JE VOUS PROMETS DE RÉALISER POUR VOUS UN NUMÉRO QUI POURRAIT BIEN VOUS SERVIR DANS L'EXERCICE DE VOTRE RESPECTABLE ACTIVITÉ.

CHOUETTE !

OUGOCIL FAIM.

JE VEUX BIEN T'AIDER, MAIS IL FAUT QUE TU DISES TOUTE LA VÉRITÉ: UN PRINCE DES VOLEURS DE DOUZE ANS ACCUEILLI EN GRANDES POMPES PAR MERTELLUS LUI-MÊME ET SA CLIQUE, QUI CHERCHE DISCRÈTEMENT LA CLÉ LA PLUS MYSTÉRIEUSE DE CE CÔTÉ-CI DU MONDE, C'EST UN PEU DUR À AVALER...

COMPRENDS-MOI BIEN, NOUS AVONS TOUS ICI DES SECRETS, DES HISTOIRES QU'ON CACHE, MAIS J'AI PEUR QUE TU SOIS ENGAGÉ DANS UNE HISTOIRE DONT LA COMPLEXITÉ TE DÉPASSE ET QUI RISQUE DE SE RETOURNER CONTRE TOI.

AAAAAHH...

BURP

MIAAAAAA OUOUOU

TROP DE CHOSES M'ÉCHAPPENT, TU AS RAISON ARKILLON JE... JE M'APPELLE AMOS D'ARAGON.

...KARMAKAS ET MÉDOUSA... PIÈGE... BASILIC...

SLURPS

LOLYA EST ARRIVÉE... LE MASQUE... ÉCLIPSE...

WAOWWW

NOUS AVONS RECUEILLI URIEL SUR LE BATEAU... BRAHA...

ZZZZZ

AMOS, JE SUIS DÉSOLÉ, MAIS JE CRAINS QUE TU TE SOIS FAIT MANIPULER DEPUIS LE DÉBUT. ÇA NE M'ÉTONNERAIT PAS QU'UN DIEU SE SOIT SERVI DE TOI POUR SES PETITS COMPLOTS. QUI ? JE NE SAIS PAS...

MAIS LE PLUS URGENT EST DE SAVOIR CE QUI SE TRAME AU PALAIS. L'OMBRE...

...VA CHEZ MERTELLUS ET TÂCHE D'EN SAVOIR PLUS SUR JERIK ET CET URIEL.

BIEN MAÎTRE.

ET CHANGE D'ASPECT ! COMBIEN DE FOIS DEVRAI-JE TE LE RÉPÉTER ?

PARDON MAÎTRE...

C'EST MIEUX.

QUANT À TOI, AMOS, IL VAUT MIEUX QUE TU RESTES ICI, CE SERA PLUS SÛR. J'AFFECTERAI OUGOCIL À TA SÉCURITÉ.

MÊME S'IL N'EN A PAS L'AIR, C'EST UN GARDE DU CORPS TRÈS EFFICACE !

POUR REVENIR À TON HISTOIRE DE CLÉ, LORSQUE LES DIEUX CHOISIRENT LA VILLE DE BRAHA POUR EN FAIRE LE TRIBUNAL DES ÂMES, ILS DÉCIDÈRENT D'Y PLANTER SYMBOLIQUEMENT UN ARBRE DE VIE. QUICONQUE CROQUE SES FRUITS DEVIENT IMMORTEL. C'EST PRÉCISÉMENT PARCE QUE NOUS SOMMES MORTS QUE NOUS NE VOYONS PAS CET ARBRE. LA CLÉ DE BRAHA, C'EST LA CLÉ DE LA VIE. CE QUE TU IGNORES, C'EST QU'EN CROQUANT CETTE POMME, TU LIBÉRERAS UN PASSAGE ENTRE LES DEUX MONDES. TU DEVIENDRAS PEUT-ÊTRE IMMORTEL, MAIS AU MÊME MOMENT LES FANTÔMES RELÂCHÉS RAVAGERONT LA TERRE ENTIÈRE. LES DIEUX NE SONT PAS SI GÉNÉREUX...

QUANT AUX ANCIENS DONT LE BARON SAMEDI ÉTAIT LE DIEU, IL S'AGIT DE DRAGONS TRÈS PUISSANTS DONT LA TÊTE CONTIENT UNE PIERRE BRILLANTE TRÈS PRISÉE DES MAGICIENS, QUI S'APPELLE LA DRACONITE. JE LE SAIS CAR J'AI MOI-MÊME PERDU LA VIE, VICTIME DE MA CUPIDITÉ, AU COURS D'UNE DE CES EXPÉDITIONS.

ET SI TOUT CE QUE TU M'AS DIT AU SUJET DE CETTE LOLYA EST VRAI, ALORS LE BARON SAMEDI N'EST AUTRE QUE SON PÈRE, ET LOLYA EST, ELLE AUSSI, UN DRAGON. LE PREMIER DRAGON QUI VA RENAÎTRE SUR LA TERRE.

MIAOU

ELLE DEVAIT DONC DÉJÀ POSSÉDER UNE DRACONITE LORSQU'ELLE EST ARRIVÉE À BERRION. GÉNÉRALEMENT SAMEDI PLACE CES PIERRES AU FOND DE LA GORGE DES ENFANTS.

RONRONRONRONRON

LOLYA = DRAGON

RRRHHH

EH BIEN, AMOS? TU M'ÉCOUTES?

???

MIAOU

HEIN? EUH, OUI, PARDON ARKILLON...

131

TOUT ÇA A TELLEMENT L'AIR D'UN MAUVAIS RÊVE. JE ME FAIS ASSASSINER PAR UNE FILLE-DRAGON POUR VOLER UNE CLÉ QUI N'EXISTE PAS AU PROFIT D'UN BARON FOU TRAVAILLANT LUI-MÊME SANS DOUTE POUR UN DIEU SUPÉRIEUR; UN SERVITEUR SANS TÊTE ME FAIT EMBARQUER SUR LE STYX, UN ROI DÉCHU MASSACRE LE VILLAGE OÙ J'AI GRANDI ET JE CARESSE UN SQUELETTE DE CHAT QUI RONRONNE!

TU SAIS, LE DESTIN ÉCRIT PARFOIS DES HISTOIRES QUI NE NOUS RESSEMBLENT PAS, MAIS NOUS N'AVONS PAS LE CHOIX.

?
?

SI OUGOCIL ÉCRIRE, ET SI HISTOIRE PAS PLAIRE À OUGOCIL, OUGOCIL EFFACERAIT MAUVAISE HISTOIRE POUR ÉCRIRE NOUVELLE.

!

IL FAUDRAIT D'ABORD SAVOIR ÉCRIRE...

PAF

AÏE!

EFFACER?

MAIS OUI, C'EST ÇA! OUGOCIL, TU ES UN GÉNIE!

AH...

7

La faim de Béorf

LOLYA, UN DRAGON... ÇA ALORS, JE N'ARRIVE PAS À Y CROIRE.

ET MAINTENANT ? LA PYRAMIDE DE MAHIKUI, ELLE SEULE SAVAIT COMMENT L'OUVRIR, COMMENT ALLONS-NOUS FAIRE ?

IL FAUT PRÉVENIR JUNOS TOUT DE SUITE !

POURVU QU'ELLE NE SOIT PAS PASSÉE AVANT MOI !

TROP TARD !

ON S'EST BATTU ICI IL N'Y A PAS LONGTEMPS, MAIS KUR N'AURAIT PAS EU BESOIN DE LANCES POUR EXTERMINER TOUTE LA TROUPE.

CETTE ODEUR DE POISON NE LAISSE GUÈRE DE DOUTE : YAUNE A RETROUVÉ NOTRE TRACE ET IL N'ÉTAIT PAS SEUL.

SNIF SNIF

LE TEMPS DE REPRENDRE DES FORCES, AMOS, ET J'ARRIVE.

IL Y A DES LIMITES, YAUNE !

OH NOONN... LE CUISINIER A ÉTÉ SURPRIS AVANT MÊME DE COMMENCER !

BONG

TU VAS APPRENDRE QU'IL NE FAUT JAMAIS PRIVER UN HOMMANIMAL DE SON REPAS... ET ENCORE MOINS DE SES AMIS !

135

138

ET POUR QUE LE COMBAT SOIT ÉQUITABLE, NOUS LUTTERONS SEUL À SEUL.

C'EST LE MOMENT OU JAMAIS.

AMOS, PARDONNE-MOI !

JE FAIS PEUT-ÊTRE UNE GROSSE BÊTISE...

MAIS ENTRE L'INCONNU, YAUNE ET UN DRAGON, JE PRÉFÈRE...

...L'INCONNU.

SHLLAAC

140

141

SLURP

MESSIEURS, BON APPÉTIT !

CRUNCH

CE N'EST PAS POSSIBLE..., MES FLAMMES ONT L'AIR TOTALEMENT INOFFENSIVES CONTRE YAUNE. IL EST FORCÉMENT PROTÉGÉ PAR UN SORTILÈGE OU UN ENVOÛTEMENT DE SETH.

FFFFFF...

FFF.F..

FFFFF

SETH AVAIT RAISON, CES MAUDITS DRAGONS SONT INVINCIBLES ! LEUR SEUL POINT FAIBLE EST UNE ÉCAILLE MANQUANTE QUI DÉCOUVRE LEUR CORPS MAIS À MOI SEUL, IMPOSSIBLE DE LA TROUVER.

GNNNNNNN

BAH, SORTILÈGE OU NON, J'AI TOUT MON TEMPS, À UN MOMENT OU À UN AUTRE, TA MAGIE S'AFFAIBLIRA ET JE SAURAI EN PROFITER.

SI AMOS TROUVE LA CLÉ ET LIBÈRE MON ARMÉE, CE SALE LÉZARD NE DEVRAIT PLUS OPPOSER DE RÉSISTANCE. IL FAUT JUSTE RÉSISTER EN ATTENDANT...

À L'ATTAQUE !!!

144

145

8

Dieu Daragon

COMME TU ES TOUCHANT, JEUNE AMOS, LE MONDE ENTIER COMPLOTE CONTRE TOI ET TU N'AS RIEN D'AUTRE À FAIRE QUE DE PEIGNER TA TRESSE RIDICULE. SI JE VOULAIS SEULEMENT... REGARDE PLUTÔT...

IL Y A QUELQU'UN ?

AHH

VLAAM

UN SIMPLE COURANT D'AIR.

ÇA Y EST, AMOS, TU DÉBLOQUES, TU COMMENCES À VOIR DES ENNEMIS IMAGINAIRES.

IMAGINAIRES ? TU EN ES VRAIMENT CERTAIN ?

QUI, QUI ÊTES-VOUS ?!

L'OMBRE ? MAIS, COMMENT, OÙ EST-CE QUE TU ES CACHÉ, POURQUOI JE T'ENTENDS DANS MA TÊTE ?

UNE MINUTE ! EST-CE QUE TU AS LES DIX PIÈCES D'OR QUE JE T'AVAIS DEMANDÉES ?

OUI, LES VOICI.

MAIS, DE GRÂCE, NE DISPARAISSEZ PLUS DE LA SORTE, AMOS, J'ÉTAIS MORT D'INQUIÉTUDE. QUELLE MOUCHE VOUS A PIQUÉ ?

TOI, MORT D'INQUIÉTUDE ? CE N'ÉTAIT PAS PLUTÔT MERTELLUS QUI S'INQUIÉTAIT ?

COMMENT ?

OU BIEN URIEL ET SON FRÈRE ? MON ABSENCE N'ARRANGEAIT PAS VRAIMENT LEUR PETIT PLAN... TU AS DÛ PASSER UN MAUVAIS QUART D'HEURE...

JE N'OSE MÊME PAS IMAGINER CE QUI T'ARRIVERAIT SI SETH L'APPRENAIT. L'OMBRE !

BONJOUR !

TU TRAVAILLES TROP JERIK, LE MÉTIER DE TRAÎTRE EST FATIGANT ET TU COMMENCES À TE FAIRE SURPRENDRE. COMME JE T'AIME BIEN MOI AUSSI, J'AI PENSÉ À TOI ET JE ME SUIS DIT QUE TU POURRAIS PRENDRE QUELQUES VACANCES PENDANT QUE L'OMBRE PRENDRAIT TA PLACE AU PALAIS.

BEUH

UN VRAI SACRIFICE.

ET VU TA SALE TÊTE DE TRAÎTRE, L'OMBRE FAIT VRAIMENT UN EFFORT. VOUS N'ÊTES PAS D'ACCORD ?

AMOS, JE PEUX TOUT VOUS EXPLIQUER, VOUS VOUS MÉPRENEZ.

BIEN SÛR, LE STYX, GANHAUS, LA CLÉ, LES FILATURES...

TOUT ÇA N'EST QU'UNE EFFROYABLE MÉPRISE. QU'EST-CE QUE TU DIRAIS D'UNE SIESTE À L'OMBRE DES CHÂTAIGNIERS POUR QUELQUES CENTAINES D'ANNÉES PLUTÔT ?

VA EN ENFER, SALE MIOCHE !

C'EST TOI QUI Y VAS TOUT DROIT !

PAF

AU FAIT, J'ESPÈRE QUE TU N'AS RIEN CONTRE LES CHIENS ENRAGÉS?

DES CHIENS? AMOS, NON, JE T'EN PRIE!

ASSEZ DE TEMPS PERDU AVEC CETTE FRIPOUILLE! RETROUVONS VINCENC.

VOUS SAVEZ OÙ IL SE TROUVE?

À VRAI DIRE CE N'EST PAS TRÈS COMPLIQUÉ, VA AU PALAIS REMPLACER JERIK MAINTENANT, JE M'OCCUPE DU RESTE.

ALORS VINCENC? TOUJOURS PAS DE PIÈCES D'OR DANS TA GAMELLE?

COMME TU LE VOIS, HORMIS QUELQUES CROÛTONS DE PAIN, BRAHA N'EST GUÈRE GÉNÉREUSE.

TIENS, AVEC ÇA, ÇA DEVRAIT ALLER BEAUCOUP MIEUX.

UNE BOURSE? PLEINE?

MERCI! MERCI! ENCORE AMOS, ET BONNE CHANCE!

AU SUIVANT, JERIK!

152

COMME TOUTES LES PRÉCÉDENTES, HÉLAS, MONSIEUR AMOS.

BONJOUR ANGESS, BELLE JOURNÉE POUR DES RETROUVAILLES, TU NE TROUVES PAS?

AUJOURD'HUI, J'AI TROUVÉ CE GARÇON QUI PLEURAIT SA FIANCÉE. IL ÉTAIT SI TRISTE QU'IL EN A PERDU LA TÊTE, MAIS L'AUBERGISTE M'A DIT SON NOM... PETEN!

PETEN?

MON AMOUR!!!

WOOSH

PETEN CHERI, SI TU SAVAIS COMBIEN J'AI PU T'ATTENDRE, COMBIEN D'ANNÉES. MAIS MAINTENANT C'EST FINI, PLUS RIEN NE NOUS SÉPARERA!

♥

TOUT ÇA C'EST GRÂCE À VOUS, MONSIEUR AMOS... MONSIEUR AMOS? OÙ ÊTES-VOUS?

MONSIEUR AMOOOS???

AVEC TOUTES CES EFFUSIONS, JE N'AI PAS VU LE TEMPS PASSER. SI JE N'ARRIVE PAS CHEZ ARKILLON AVANT LA NUIT JE NE DONNE PAS CHER DE MA PEAU.

153

LES PORTES, ELLES S'OUVRENT.

FWASHHHH

CETTE LUMIÈRE... JE NE VOIS PLUS RIEN. QUI... QUI EST LÀ ?

FÉLICITATIONS, JEUNE AMOS DARAGON !

BIEN PEU AVANT TOI ONT RÉUSSI CETTE PREMIÈRE ÉPREUVE. DE TOUS, TU ES LE PLUS JEUNE, C'EST TOUT À TON HONNEUR.

MAIS NE TE RÉJOUIS PAS TROP VITE. POUR ATTEINDRE LA SALLE DE LA PYRAMIDE IL TE FAUT AFFRONTER UNE SECONDE ÉPREUVE !

J'AI RÉUSSI UNE ÉPREUVE, MOI ? QUAND ÇA ?

IL FAUT RÉALISER TROIS NOBLES ACTIONS POUR VOIR S'OUVRIR LES PORTES, C'EST LA RÈGLE ; ET C'EST CE QUE TU VIENS DE FAIRE AUJOURD'HUI MÊME.

TU AS DONNÉ LA TÊTE DE JERIK AUX TROIS CHIENS QUI DEVAIENT PUNIR UN VOLEUR POUR SE LIBÉRER DE LEUR SORTILÈGE, TU AS DONNÉ L'ARGENT À VINCENC ET TU AS DONNÉ UN FIANCÉ À ANGESS.

SI TU RÉUSSIS TON CORPS TE SERA RENDU ET TU DEVRAS AFFRONTER UN AUTRE GARDIEN ; MAIS ATTENTION : UNE SEULE MAUVAISE RÉPONSE ET TU RETOURNES À BRAHA JUSQU'À LA FIN DE TES JOURS. ON N'A QU'UNE CHANCE DE DEVENIR DIEU.

TON CORPS EST DÉJÀ AU SOMMET DE LA PYRAMIDE, MAIS POUR LE REJOINDRE IL TE FAUT MAINTENANT RÉPONDRE À UNE ÉNIGME.

ÉCOUTE, MA QUESTION EST SIMPLE : QUEL ARBRE EST À DEMI NOIR ET À DEMI BLANC ? SI TU SAIS RÉFLÉCHIR, LA RÉPONSE EST TOUT AUSSI FACILE.

L'ARBRE QUI EST À DEMI NOIR ET À DEMI BLANC?

VOYONS, CES ÉNIGMES FONCTIONNENT TOUJOURS PAR MÉTAPHORE...

...IL DOIT Y AVOIR UN LIEN AVEC L'ARBRE DE VIE, UN SYMBOLE...

...ET PUIS NOIR ET BLANC: DEUX COULEURS OPPOSÉES.

UN DILEMME, UN...

...UN ARBRE...

GNNN

TIC TAC, TIC TAC

NOIR, VIE... DEUX COULEURS, DEUX VISAGES...

LOLYA!

J'AI TROUVÉ! C'EST L'ÂME HUMAINE. ELLE POUSSE EN CHACUN DE NOUS, MAIS POSSÈDE TOUJOURS DEUX CÔTÉS QUI S'AFFRONTENT.

TON CŒUR EST GRAND, JEUNE AMOS, MAIS TU SAIS AUSSI RÉFLÉCHIR. TON ESPRIT NE RESTE PRISONNIER NI DES MOTS NI DES IMAGES. TU VIENS DE RÉUSSIR TA PREMIÈRE ÉPREUVE. VA, LA SALLE DE LA PYRAMIDE ET TON AMI T'ATTENDENT.

WWHHAAAM

AMOS... C'EST, BIEN TOI?

ROI JUNOS, QU'EST-CE QUI T'ES ARRIVÉ?

TU ES BLESSÉ, TU VAS BIEN?

AMOS... JE... JE NE TE VOIS PAS, IL FAIT NUIT?

C'EST BIEN MOI, JUNOS. JE SUIS LÀ, JUSTE À CÔTÉ, JE TE VOIS.

TOUT À L'HEURE... J'AI VU DES ANGES COMME À TARKASIS... MAGNIFIQUES... ILS ONT PRIS TON CORPS, ILS L'ONT POSÉ PAR TERRE ET ILS ONT ALLUMÉ DES BOUGIES. C'AURAIT ÉTÉ UNE BELLE HISTOIRE À RACONTER, SI J'AVAIS PU RENTRER À BERRION.

RAPPELLE-TOI AMOS, LA PROPHÉTIE DE LOLYA: UN AMI... SE SACRIFIERAIT POUR TOI. SI J'AI ÉTÉ CET AMI... ALORS JE PARS SANS REGRET... LE SON DE TA VOIX EST LE MEILLEUR SOUVENIR QUE JE PUISSE EMPORTER.

JUNOS...

ÇA Y EST? VOUS ÊTES FIERS DE VOUS? POURQUOI FAUT-IL TOUJOURS QUE VOUS ME MÊLIEZ À VOS HISTOIRES? ÇA NE ME CONCERNE PAS. J'EN AI ASSEZ! VOUS N'AVEZ PAS LE DROIT!

CLIC

L'OMBRE SE MET À BOUGER

CRRRRRRRR

QU'EST-CE QUI SE PASSE ENCORE?

CLIC

ENCORE DES PORTES QUI S'OUVRENT.

...IIINNK

JUNOS, JE DOIS CONTINUER, MAIS JE NE T'ABANDONNE PAS. JE TE PROMETS QUE NOUS NOUS RETROUVERONS TRÈS RAPIDEMENT.

HÉ! TOI, LÀ-HAUT!

TOUT DIEU QUE TU SOIS, ET QUELS QUE SOIENT TES PROJETS...

IL EST GRAND TEMPS QUE J'Y METTE FIN.

À QUELLE NOUVELLE CRÉATURE VAIS-JE AVOIR AFFAIRE MAINTENANT?

HOCHIGAN, DRAGON, LEUCROCOTE, KRAKEN,...

UN BOUC?

161

VOICI DONC LE FAMEUX AMOS DARAGON? LA RUMEUR T'A GRANDI... JE M'ATTENDAIS À UN ADVERSAIRE... PLUS À MA MESURE.

ENFIN, LA RÈGLE EST LA RÈGLE, MÊME AVEC UN ENFANT: LA-CLÉ-QUI-EST-À-MON-COU-OUVRE-LA-PORTE-SI-TU-LA-VEUX-IL-FAUDRA-D'ABORD-ME-VAINCRE.

VOUS VOULEZ ME FAIRE CROIRE QUE LE DERNIER GARDIEN DE LA CLÉ EST UN VULGAIRE BOUC AVEC UNE SERPETTE?

COMMENT ÇA? UN BOUC, MOI, LE TERRIBLE FOUGRE? ET TU COMPARES MA TERRIBLE FAUX À UNE SERPETTE???

ET LA CLÉ, HEIN, C'EST QUOI ÇA?

RIEN NE RESSEMBLE PLUS À UNE CLÉ QU'UNE AUTRE CLÉ.

TU ES BIEN LE PREMIER QUI...

162

JE VEUX BIEN COMBATTRE SI JE SUIS SÛR QUE TA CLÉ EST LA BONNE. MA TORCHE EST PRESQUE CONSUMÉE. TU ME DONNES LA CLÉ POUR QUE JE L'EXAMINE ET DÈS QUE LA FLAMME S'ÉTEINDRA D'ELLE-MÊME, JE TE LA RENDS ET LE COMBAT COMMENCERA...

MMM

TRÈS BIEN...

CHAK

MAIS ATTENTION, JE N'AI QU'UNE PAROLE.

MOI AUSSI, FOUGRE. MERCI.

? FFFFFF

AH, AH, PAUVRE IMBÉCILE, TU VIENS DE SIGNER TON ARRÊT DE MORT!

NON, JE VIENS DE GAGNER UNE CLÉ!

???

MAIS...

164

LE GRAND MOMENT EST ARRIVÉ...

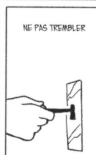

NE PAS TREMBLER

BÉORF, JUNOS, J'ESPÈRE QUE JE NE FAIS PAS UNE ERREUR.

BBRRRRRRRRRRRRR

OH... QU'EST-CE QUE J'AI ENCORE DÉCLENCHÉ ?

166

171

172

VOUS ÊTES LE NOUVEAU MAÎTRE DU MONDE, SANS DOUTE? BIEN JEUNE HOMME, JE SUPPOSE QUE VOUS AVEZ DÉJÀ EU DROIT AUX FÉLICITATIONS...

ALORS PASSONS DIRECTE-MENT À LA PAPERASSE. MON TEMPS EST PRÉCIEUX ET D'AUTRES ATTENDENT APRÈS VOUS, PAS DE BAVARDAGES INUTILES.

SI JE M'ATTENDAIS...

M... MAÎTRE DU MONDE?

AH NON, PAS DU TOUT.

HOP HOP HOP NE TOUCHEZ À RIEN, ASSEYEZ-VOUS.

VOUS VOUS TROMPEZ, JE...

COMMENT ÇA JE ME TROMPE ??? TAISEZ-VOUS, JEUNE HOMME ! TANT QUE VOUS N'AVEZ PAS SIGNÉ, LE SEUL DIEU ICI C'EST MOI (ART. 25.3 ALINÉA B).

ALORS UN PEU DE RESPECT, ET VEUILLEZ PRENDRE CONNAISSANCE DU RÈGLEMENT EN SILENCE.

DOMAINE DES DIEUX

CLAUSE NUMÉRO 1: LE NOUVEAU DIEU ARRIVANT AU PANTHÉON DES DIVINITÉS DE CE MONDE SE VERRA DANS L'OBLIGATION DE CHOISIR SON ALLÉGEANCE ENTRE LE BIEN ET LE MAL. IL POURRA RESTER DANS LA NEUTRALITÉ UN MILLÉNAIRE S'IL LE DÉSIRE, MAIS SERA TENU, AU BOUT DE CE DÉLAI, DE M'INFORMER DE SON ORIENTATION. CLAUSE NUMÉRO 2: LE NOUVEAU DIEU SE VERRA ACCORDER LE DROIT DE CRÉER UNE NOUVELLE RACE DE MORTELS S'IL LE DÉSIRE. IL POURRA ÉGALEMENT CHOISIR DE COURTISER UNE RACE DÉJÀ EXISTANTE ET N'AYANT PAS ENCORE DE DIEU À GLORIFIER. IL POURRA VOLER DES FIDÈLES À D'AUTRES DIEUX ET AINSI UNIR PLUSIEURS RACES DE MORTELS DANS SON CULTE. LES MOYENS QU'IL CHOISIRA POUR ARRIVER À SES FINS RESTENT ET RESTERONT TOUJOURS À SA DISCRÉTION. JE VOUS FOURNIRAI UNE LISTE DES PEUPLADES SANS DIEU. JE DOIS AUSSI VOUS INFORMER QUE TOUTES LES RACES D'ELFES BÉNÉFICIENT D'UN PRIVILÈGE ET QU'IL EST FORMELLEMENT INTERDIT DE LES IMITER OU DE S'EN INSPIRER

MAIS JE NE VEUX PAS...

CLAUSE NUMÉRO 3 : LE NOUVEAU DIEU PRENDRA À SA CHARGE UNE PARTIE DE CE MONDE EN ASSURANT SON ENTIÈRE GESTION. TOUTES LES MERS ET TOUS LES GRANDS LACS AYANT DÉJÀ LEUR PROTECTEUR, LE NOUVEAU DIEU SE VERRA EXCLU, PAR CE FAIT, DE TOUS LES POUVOIRS RELIÉS, D'UNE MANIÈRE OU D'UNE AUTRE, À L'EAU. JE VOUS DONNERAI AUSSI UNE LISTE DE GRANDS DOMAINES VACANTS QUI, JE L'ESPÈRE, VOUS INSPIRERONT DANS VOS NOUVELLES FONCTIONS...

EST-CE QUE VOUS ALLEZ ENFIN M'ÉCOUTER, OUI OU NON ?

CHBOM

JE NE VEUX PAS DEVENIR DIEU ! VOUS ENTENDEZ ? JE VEUX REDEVENIR HUMAIN À L'ÉPOQUE QU'IL ME PLAIRA, C'EST POSSIBLE ?

?

HI HI

VOILÀ... UNE REQUÊTE BIEN INHABITUELLE, MAIS C'EST POSSIBLE, OUI, PAS DE DOUTE, C'EST POSSIBLE (ART. 6.4 ALINÉA D).

NOTEZ BIEN CEPENDANT QUE VOUS OUBLIEREZ TOUT SOUVENIR DE CE QUE VOUS AVEZ VÉCU JUSQUE-LÀ (ART. 6.4 ALINÉA E).

VOUS DEVEZ JUSTE EN FAIRE SOLENNELLEMENT LA DEMANDE ORALE.

VOUS PERMETTEZ ?

VOUS DEMANDEZ LA PERMISSION MAINTENANT ?

NON MAIS ÇA VA PAS ? ÇA NE SE BOIT PAS...

GLOU GLOU GLOU GLOU

POUAH... INFECT, MAIS MERCI QUAND MÊME.

SPLUTCH

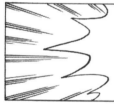

JE SOUHAITE ME RÉVEILLER À BERRION LE MATIN DE L'ARRIVÉE DE LOLYA.

WWWHHHHHSSSSSS

FROTT FROTT

ET VOILÀ : MÊME PAS MERCI POUR L'ENCRE, IL CRACHE PAR TERRE ET C'EST MOI QUI FROTTE. VIVE LA JEUNESSE !

175

-9-

Le nouveau réveil

MESSIEURS, JE SUIS AMOS DARAGON, CELUI QUE VOUS VOULIEZ VOIR. BIENVENUE À BERRION!

ATARAZAM, AMOS DARAGON WA OFOUMI. TÉ DÉSKOTO MANOVA LOLYA. KAKUKO*

ENFIN JE TE RENCONTRE, AMOS DARAGON, LES PRÉDICTIONS DU BARON SAMEDI SE SONT DONC RÉALISÉES. JE M'APPELLE LOLYA, REINE DE LA TRIBU DES DOGONS ET J'AI FAIT UN LONG, UN TRÈS LONG VOYAGE POUR TE RENCONTRER.

*GUERRIERS, AMOS DARAGON EST DEVANT NOUS, FAITES ENTRER LA REINE LOLYA, VITE!

MON DIEU M'EST APPARU DANS UN RÊVE, ET IL M'A GUIDÉE JUSQU'À VOUS À TRAVERS LES DÉSERTS, LES FORÊTS ET LES MONTAGNES POUR QUE JE VOUS REMETTE UN PRÉSENT DE LA PART DE MON PEUPLE.

SAMAL RITTI, KAKUKO!*

OUVREZ, C'EST POUR VOUS!

CLAC CLAC

OOOOH

*AMENEZ LE COFFRE, VITE!

CE MASQUE APPARTIENT À MA FAMILLE DEPUIS PLUSIEURS GÉNÉRATIONS, MAIS MON DIEU M'A DIT QUE VOUS SAURIEZ EN FAIRE BON USAGE. MÊME S'IL NE POSSÈDE ENCORE AUCUNE PIERRE DE PUISSANCE, JE CROIS QUE VOUS CONNAISSEZ SON POUVOIR.

OUI, LOLYA.

JE PORTE DÉJÀ LE MASQUE DE L'AIR SUR MOI ET MÊME AVEC UNE SEULE PIERRE, IL EST DÉJÀ D'UNE GRANDE PUISSANCE.

HI, HI, HI, C'EST DRÔLE, VOUS AVEZ LA PEAU BLANCHE ET LES DENTS NOIRES, ET MOI EXACTEMENT L'INVERSE.

?

NON MAIS ÇA NE VA PAS ? ÇA NE SE BOIT PAS...

NE NOUS OUBLIE PAS.

BÉORF, GARDES, VITE, EMPAREZ-VOUS D'ELLE !!!

MAIS ?

182

AMOS, JE TE JURE QUE J'IGNORAIS COMPLÈTEMENT LA PRÉSENCE DE CETTE PIERRE, JE NE VOUS VOULAIS AUCUN MAL, C'EST MON DIEU QUI M'A DEMANDÉ...

JE SAIS LOLYA, VOUS N'Y ÊTES POUR RIEN, MAIS C'EST FINI MAINTENANT, SANS LA DRACONITE LE BARON SAMEDI NE PEUT PLUS RIEN CONTRE VOUS.

DRACONITE, ARKILLON, BARON SAMEDI ? PEUX-TU TRADUIRE, AMOS ?

JE VOUS EXPLIQUERAI TOUT CE SOIR EN ATTENDANT, JUNOS, ACCUEILLE NOS VISITEURS AVEC SOIN. JE T'ASSURE QU'ILS NE SONT PAS RESPONSABLES DE CE QUI VIENT DE SE PASSER.

FAIS AUSSI ARRÊTER DISCRÈTEMENT LE CUISINIER, AMÈNE-LE-MOI, ET ENVOIE UN MÉDECIN POUR SOIGNER SA FEMME. JE T'ATTENDS DANS LA SALLE DU CONSEIL.

PUISQUE AMOS NE DAIGNE PAS FAIRE LES PRÉSENTATIONS, MOI, C'EST BÉORF. JE PARIE QUE VOUS N'AVEZ RIEN MANGÉ DEPUIS UNE SEMAINE, NON ? ALORS, SUIVEZ-NOUS.

DES... DES ÉTRANGERS SONT ARRIVÉS AU... CHÂTEAU. LA JEUNE FILLE A BIEN OFFERT LE MASQUE À AMOS... MAIS... ENSUITE... EUH... AMOS.

QUOI AMOS ?

AMOS, EUH...

TU VAS PARLER, BON SANG !

AMOS, IL M'A DEMASQUÉ, IL SAIT TOUT !!!

AU SECOURS !!!!

RELÂCHE-LE IMMÉDIATEMENT, YAUNE, TU ES CERNÉ. LA PROCHAINE FOIS QUE TU VOUDRAS SAVOIR CE QUI SE PASSE AU CHÂTEAU, DEMANDE-LE DIRECTEMENT...

EN ÉTANT BANNI? FACILE À DIRE. EN TOUT CAS, JE SUIS FLATTÉ DE CONSTATER QUE MA RÉPUTATION N'A PAS FAIBLI DEPUIS LE TEMPS! QUEL COMITÉ D'ACCUEIL!

ET QUE VAS-TU FAIRE MAINTENANT? ME TUER? CET IDIOT DE JUNOS A INTERDIT TOUTE PEINE DE MORT!

M'EMPRISONNER? DANS DIX JOURS JE SERAI DEHORS... TU NE PEUX RIEN CONTRE MOI... RIEN!

C'EST VRAI, MAIS IL Y A D'AUTRES MANIÈRES DE TE RENDRE INOFFENSIF.

SALUT, VIEUX!

JE TE LE LAISSE, LOLYA. TU PEUX COMMENCER.

C'EST PARTI.

KAROUTCHO

189

190

Épilogue

QUELQUES MOIS PLUS TARD, DANS UN FJORD SCANDINAVE.

CRAC

GLOUPS... DES YEUX COMME ÇA, ÇA NE PEUT ÊTRE QUE DES...

TU M'AS L'AIR BIEN AGITÉE, PETITE FÉE DES BOIS? TU T'ES PERDUE?

!?

DES LOUUUUPS

TU POURRAS MÊME CRACHER DES FLAMMES POUR FAIRE FONDRE LA NEIGE, PLUS DE CORVÉE D'EAU.

...

HOP HOP HOP, PAS SI VITE...

EST-CE QUE JE POURRAIS AUSSI RENDRE LES COUPS À MON GRAND FRÈRE ?

TU VERRAS, IL SERA MORT DE PEUR.

ALORS JE VEUX BIEN. DONNE TON BONBON !

NIAM

AU FAIT, COMMENT T'APPELLES-TU ?

BRISING !

EH BIEN, OUBLIE CE PRÉNOM. DORÉNAVANT TU SERAS RAGNARÔK.

GNAGNARÔK ? ÇA VEUT DIRE QUOI ?

196

Table des matières

KROAAA!!

L'aventure se poursuit...
Le camp Amos Daragon
www.berrion.com